Developing French

French and English Phrase Book

Written by Chantal Lacourcière Kenny
Illustrated by Linda Hendry

A & C BLACK • LONDON

For Liam, Padraig, Brigitte and François

Published in 2009 by A&C Black Publishers Ltd

36 Soho Square, London, W1D 3QY
www.acblack.com

Text © 1999 Chantal Lacourcière Kenny
Illustrations © 1999 Linda Hendry

ISBN 978-1-4081-1226-7 (hardback)
ISBN 978-1-4081-9998-5 (paperback)

First published in paperback in 2010

A CIP catalogue for this book is available from the British Library

Printed and bound in Singapore by Tien Wah Press

This book is produced using paper that is made from wood grown in
managed, sustainable forests. It is natural, renewable and recyclable. The
logging and manufacturing processes conform to the environmental
regulations of the country of origin.

COVENTRY SCHOOLS'
LIBRARY SERVICE

Please return this book on or before last
date stamped.

Table of Contents

Bonjour! Ça va?
Hello! How are you?

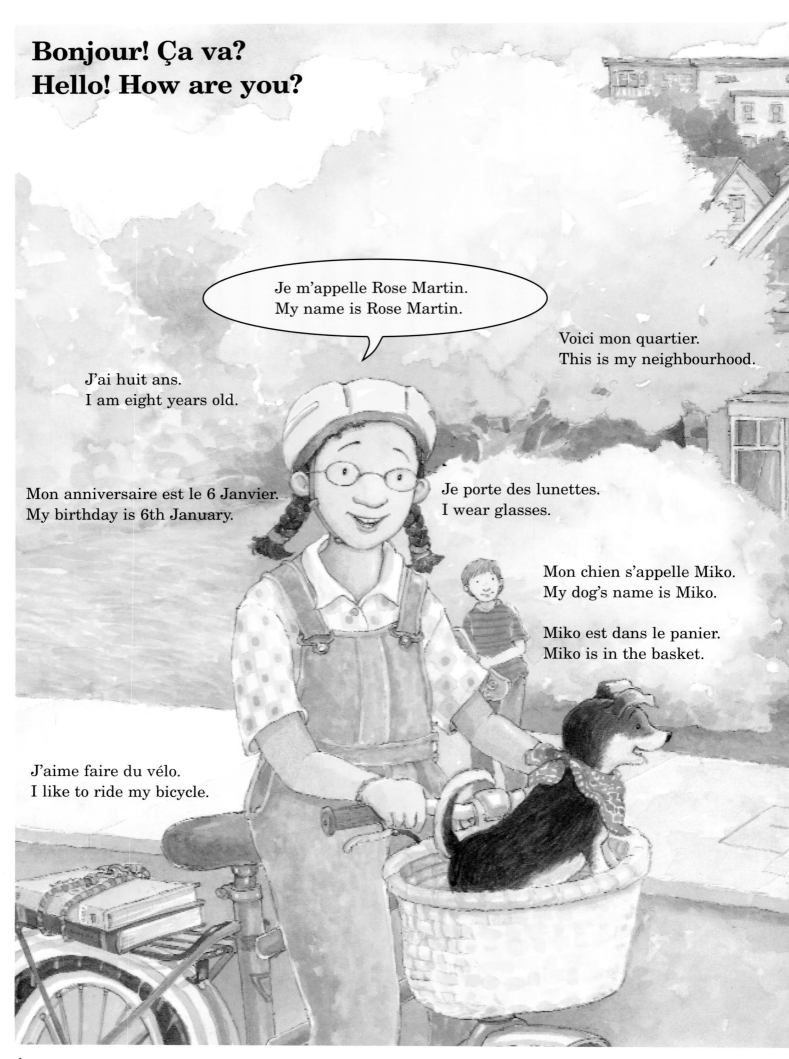

Je m'appelle Rose Martin.
My name is Rose Martin.

Voici mon quartier.
This is my neighbourhood.

J'ai huit ans.
I am eight years old.

Je porte des lunettes.
I wear glasses.

Mon anniversaire est le 6 Janvier.
My birthday is 6th January.

Mon chien s'appelle Miko.
My dog's name is Miko.

Miko est dans le panier.
Miko is in the basket.

J'aime faire du vélo.
I like to ride my bicycle.

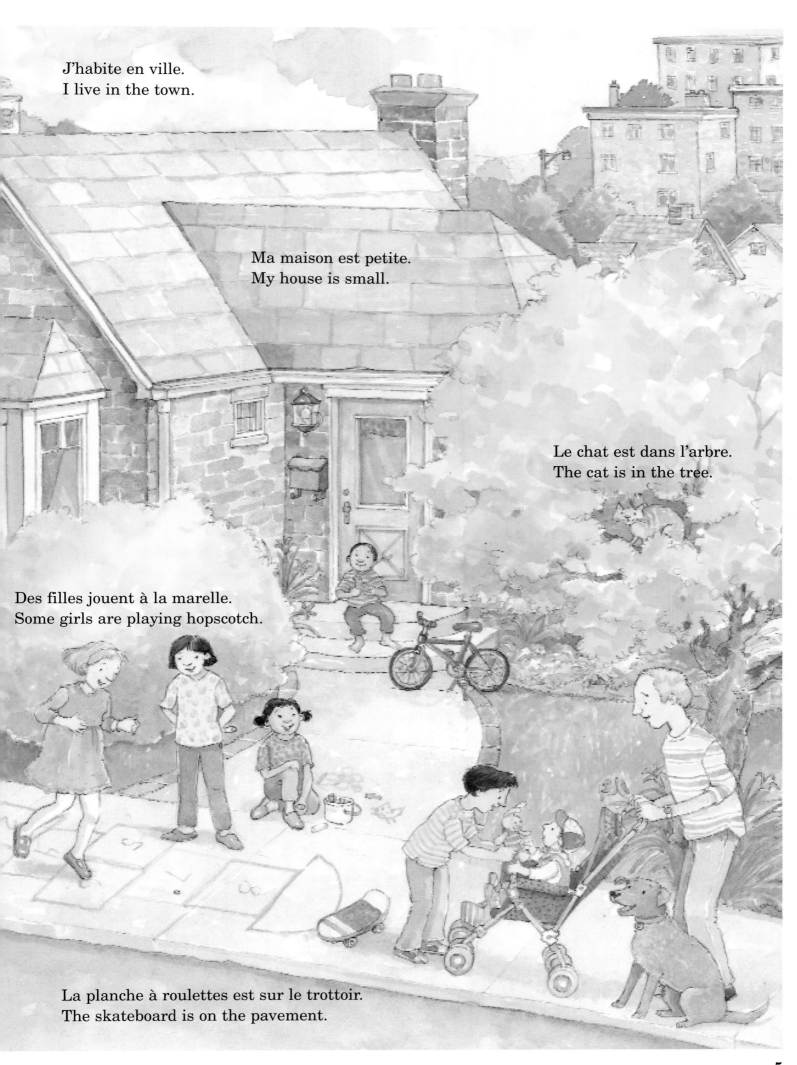

J'habite en ville.
I live in the town.

Ma maison est petite.
My house is small.

Le chat est dans l'arbre.
The cat is in the tree.

Des filles jouent à la marelle.
Some girls are playing hopscotch.

La planche à roulettes est sur le trottoir.
The skateboard is on the pavement.

5

Je te présente ma famille
Meet my family

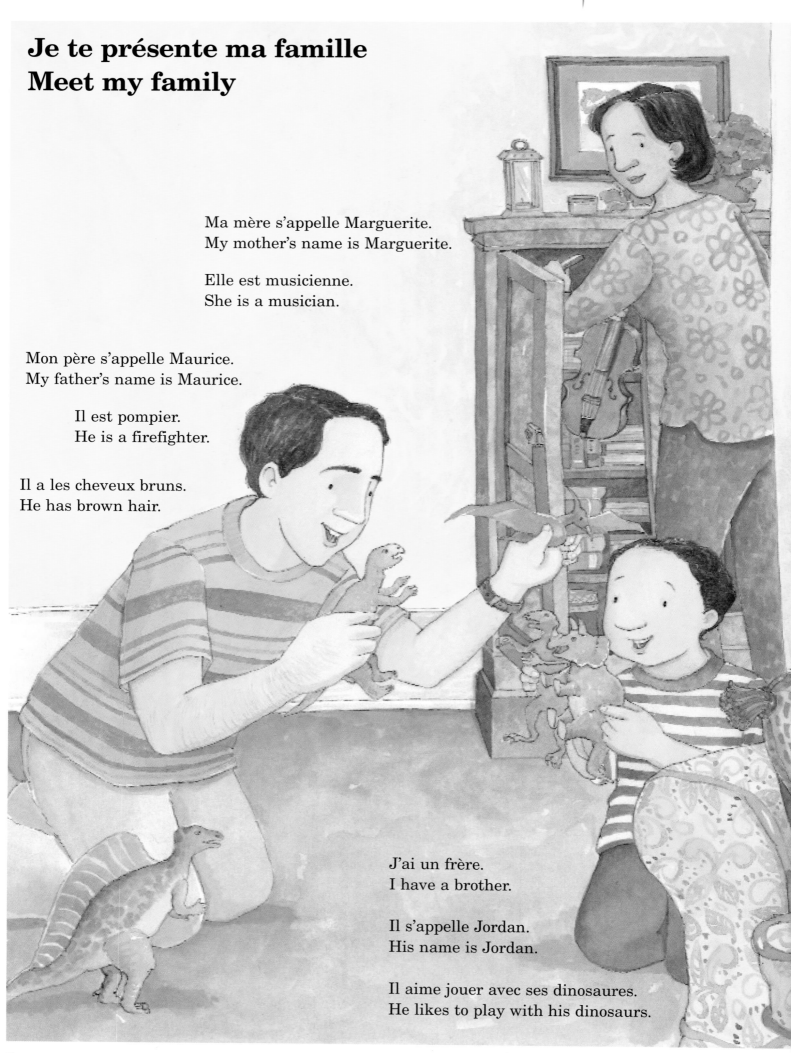

Ma mère s'appelle Marguerite.
My mother's name is Marguerite.

Elle est musicienne.
She is a musician.

Mon père s'appelle Maurice.
My father's name is Maurice.

Il est pompier.
He is a firefighter.

Il a les cheveux bruns.
He has brown hair.

J'ai un frère.
I have a brother.

Il s'appelle Jordan.
His name is Jordan.

Il aime jouer avec ses dinosaures.
He likes to play with his dinosaurs.

Mon oncle et ma tante habitent à la campagne.
My uncle and my aunt live in the countryside.

Mon grand-père est français.
My grandfather is French.

Ma grand-mère est née en Martinique.
My grandmother was born in Martinique.

Marie-Paule et Paulette sont mes cousines.
Marie-Paule and Paulette are my cousins.

Miko est mon meilleur ami.
Miko is my best friend.

À la maison
At home

La famille est dans la cuisine.
The family is in the kitchen.

Aujourd'hui, c'est samedi.
Today is Saturday.

C'est l'anniversaire de grand-mère.
It is grandmother's birthday.

Il y a des dessins sur le frigo.
There are pictures on the fridge.

Papa fait un gâteau au chocolat.
Dad is making a chocolate cake.

Jordan est à genoux sur la chaise.
Jordan is kneeling on the chair.

Il mélange le sucre et le beurre.
He is mixing the sugar and butter.

Miko regarde la télé!
Miko is watching TV!

Maman s'exerce au violon.
Mum is practising the violin.

C'est sa chanson favorite.
It is her favourite song.

Rose gonfle un ballon.
Rose is blowing up a balloon.

Les raisins sont sur la table.
The grapes are on the table.

Le magasin de fruits et de légumes
The greengrocer's

Les Martin font des courses.
The Martins are shopping.

Vous désirez?
May I help you?

Rose aime le jus d'orange.
Rose likes orange juice.

La laitue est verte.
The lettuce is green.

Les pommes de terre sont dans le panier.
The potatoes are in the basket.

Les fruits et les légumes sont bons pour la santé.
Fruit and vegetables are good for your health.

Les radis sont rouges.
The radishes are red.

Miko attend dehors.
Miko is waiting outside.

Les bananes sont jaunes.
The bananas are yellow.

Combien coûtent les framboises?
How much are the raspberries?

Les fleurs sont belles.
The flowers are beautiful.

Regarde ce gros concombre!
Look at this big cucumber!

Les oignons sont à côté des tomates.
The onions are next to the tomatoes.

La librairie du coin
The corner bookshop

L'homme achète une revue.
The man is buying a magazine.

Toute la famille est dans la librairie.
The whole family is in the bookshop.

Madame Martin veut un livre sur les animaux.
Mrs. Martin wants a book about animals.

Les livres sont sur les rayons.
The books are on the shelves.

Rose cherche un cadeau pour sa grand-mère.
Rose is looking for a gift for her grandmother.

Jordan aime le dictionnaire.
Jordan likes the dictionary.

Miko aime le caniche.
Miko likes the poodle.

Monsieur Martin est près de la porte.
Mr. Martin is near the door.

Ce magasin vend aussi des CD et des DVD.
This shop also sells CDs and DVDs.

Il y a beaucoup de livres.
There are lots of books.

La femme porte une belle robe.
The woman is wearing a beautiful dress.

Les enfants écoutent une histoire.
The children are listening to a story.

Bon anniversaire, Grand-mère!
Happy Birthday, Grandmother!

Grand-maman ouvre un cadeau.
Grandma is opening a gift.

Maman verse un verre de limonade.
Mum is pouring a glass of lemonade.

Papa prend une photo.
Dad is taking a picture.

Il y a combien de bougies sur le gâteau?
How many candles are there on the cake?

Oncle Michel porte un tablier.
Uncle Michel is wearing an apron.

Il fait cuire des hamburgers.
He is cooking hamburgers.

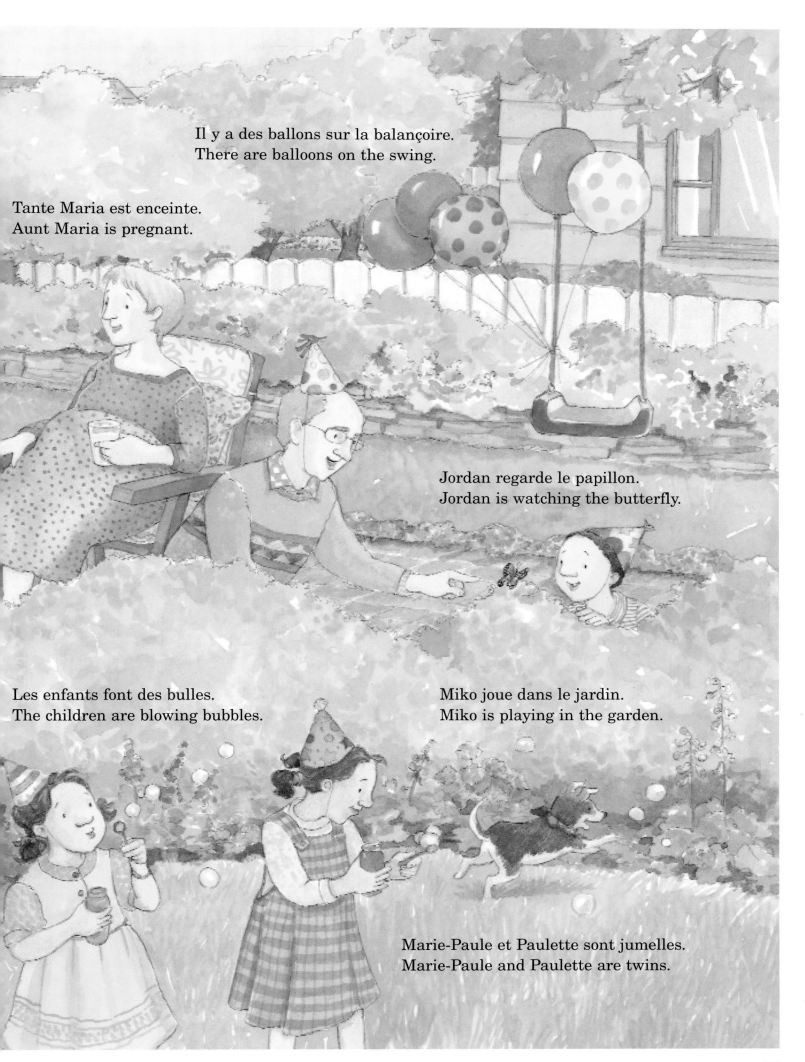

Il y a des ballons sur la balançoire.
There are balloons on the swing.

Tante Maria est enceinte.
Aunt Maria is pregnant.

Jordan regarde le papillon.
Jordan is watching the butterfly.

Les enfants font des bulles.
The children are blowing bubbles.

Miko joue dans le jardin.
Miko is playing in the garden.

Marie-Paule et Paulette sont jumelles.
Marie-Paule and Paulette are twins.

À l'école
At school

Quelle heure est-il?
What time is it?

Il est 8 h 30.
It is 8:30.

Tout le monde arrive de bonne heure.
Everyone arrives early.

L'école commence à 9 h.
School starts at 9:00.

L'auto est stationnée devant l'école.
The car is parked in front of the school.

Les parents attendent à l'extérieur de l'école.
The parents are waiting outside the school.

L'élève va à l'école à pied.
The pupil is walking to school.

La petite fille est assise dans le chariot.
The little girl is sitting in the cart.

Madame Martin serre Jordan dans ses bras.
Mrs. Martin gives Jordan a hug.

La directrice caresse Miko.
The headteacher is stroking Miko.

Le professeur regarde par la fenêtre.
The teacher is looking out of the window.

Les enfants jouent à la balle.
The children are playing with a ball.

Madame Chin joue au basket.
Mrs. Chin is playing basketball.

Le sac à dos est à côté de la fontaine.
The rucksack is beside the fountain.

Les enfants sautent à la corde.
The children are skipping.

Rose parle avec son ami, Salim.
Rose is talking to her friend, Salim.

Salim est en fauteuil roulant.
Salim uses a wheelchair.

Bienvenue dans notre classe!
Welcome to our class!

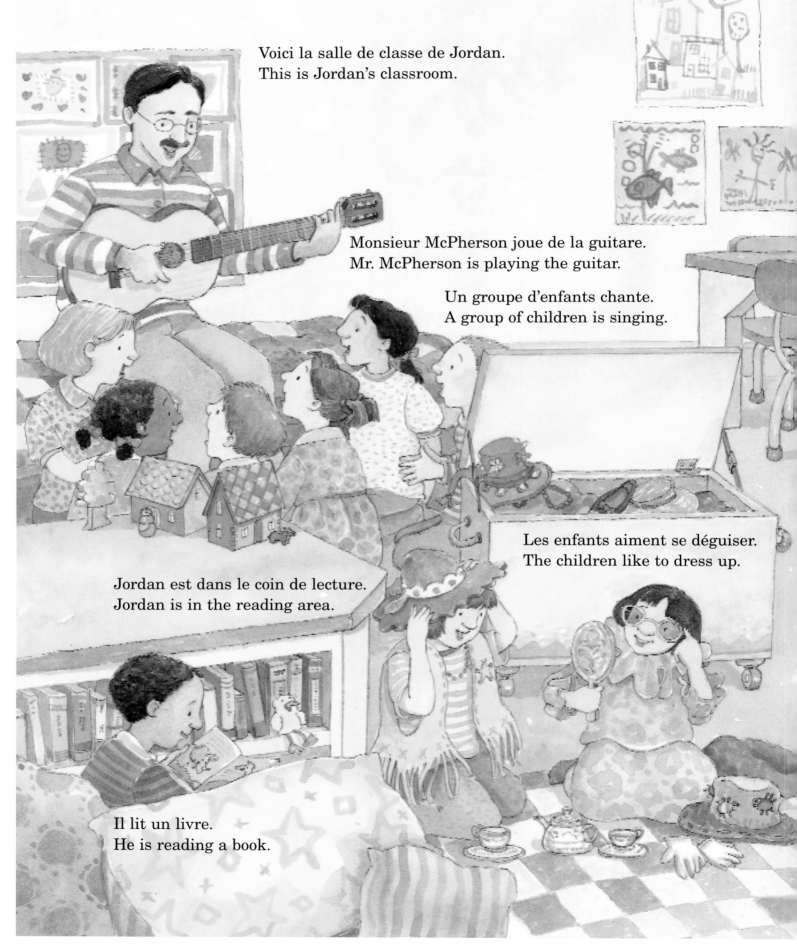

Voici la salle de classe de Jordan.
This is Jordan's classroom.

Monsieur McPherson joue de la guitare.
Mr. McPherson is playing the guitar.

Un groupe d'enfants chante.
A group of children is singing.

Les enfants aiment se déguiser.
The children like to dress up.

Jordan est dans le coin de lecture.
Jordan is in the reading area.

Il lit un livre.
He is reading a book.

Aujourd'hui, c'est lundi.
Today is Monday.

Le garçon travaille à l'ordinateur.
The boy is working on the computer.

La fille fait du coloriage.
The girl is colouring in.

Daniel range le casse-tête.
Daniel is putting the puzzle away.

La règle est sur le bureau du professeur.
The ruler is on the teacher's desk.

Voilà la poubelle.
There is the waste-paper bin.

Le terrain de foot
The football pitch

L'entraîneuse pousse des hourras.
The coach is cheering.

Les enfants jouent au foot.
The children are playing football.

Rose joue très bien au foot.
Rose plays football very well.

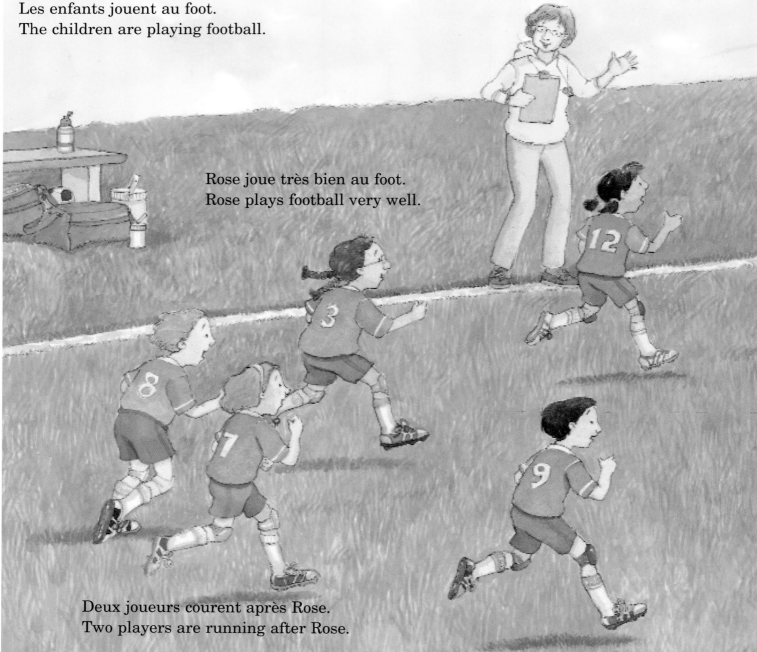

Deux joueurs courent après Rose.
Two players are running after Rose.

L'équipe de Rose porte des tenues rouges.
Rose's team is wearing red kits.

Il y a un, deux, trois, quatre, cinq, six, sept, huit, neuf, dix, onze, douze joueurs.
There are one, two, three, four, five, six, seven, eight, nine, ten, eleven, twelve players.

Le ballon est en l'air.
The ball is in the air.

C'est un match nul.
It's a draw.

Le numéro un est gardien de but.
Number one is the goalkeeper.

Le numéro six est devant le but.
Number six is in front of the goal.

L'arbitre donne un coup de sifflet.
The referee blows the whistle.

Jordan joue à cache-cache avec Miko.
Jordan is playing hide-and-seek with Miko.

Chez le docteur
At the doctor's

Voici le cabinet du docteur Bernstein.
Here is Doctor Bernstein's surgery.

Les patients sont dans la salle d'attente.
The patients are in the waiting room.

L'adolescent a la jambe cassée.
The teenager has a broken leg.

Il marche avec des béquilles.
He is walking with crutches.

La fille a mal à la tête.
The girl has a headache.

Peter a la varicelle.
Peter has chickenpox.

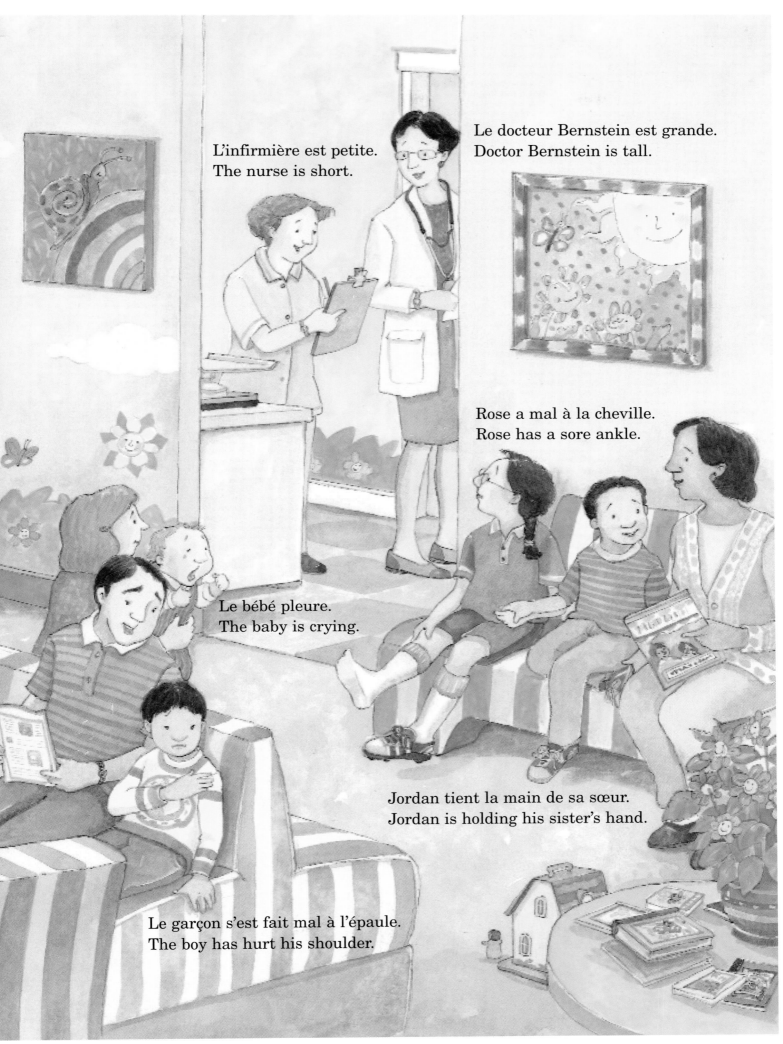

L'infirmière est petite.
The nurse is short.

Le docteur Bernstein est grande.
Doctor Bernstein is tall.

Rose a mal à la cheville.
Rose has a sore ankle.

Le bébé pleure.
The baby is crying.

Jordan tient la main de sa sœur.
Jordan is holding his sister's hand.

Le garçon s'est fait mal à l'épaule.
The boy has hurt his shoulder.

En ville
In town

L'ambulance est devant l'hôpital.
The ambulance is in front of the hospital.

L'immeuble est en construction.
The building is under construction.

Le bulldozer est près du camion-benne.
The bulldozer is near the dumper truck.

Le facteur livre le courrier.
The postal worker is delivering the mail.

Monsieur Martin lave la voiture de pompiers.
Mr. Martin is washing the fire engine.

Le parc est derrière le cinéma.
The park is behind the cinema.

L'épicerie est en face de la station-service.
The grocer's is opposite the petrol station.

La voiture de police est devant la banque.
The police car is in front of the bank.

La bibliothèque est fermée.
The library is closed.

Rose et Miko traversent la rue.
Rose and Miko are crossing the street.

La moto s'arrête au feu rouge.
The motorcycle stops at the red traffic light.

Les tables sont à l'extérieur du café.
The tables are outside the café.

À la plage
At the beach

La famille est en vacances.
The family is on holiday.

Il fait frais sous les arbres.
It is cool under the trees.

Madame Martin met de la crème solaire sur Rose.
Mrs. Martin is putting suncream on Rose.

Jordan porte un chapeau de soleil.
Jordan is wearing a sunhat.

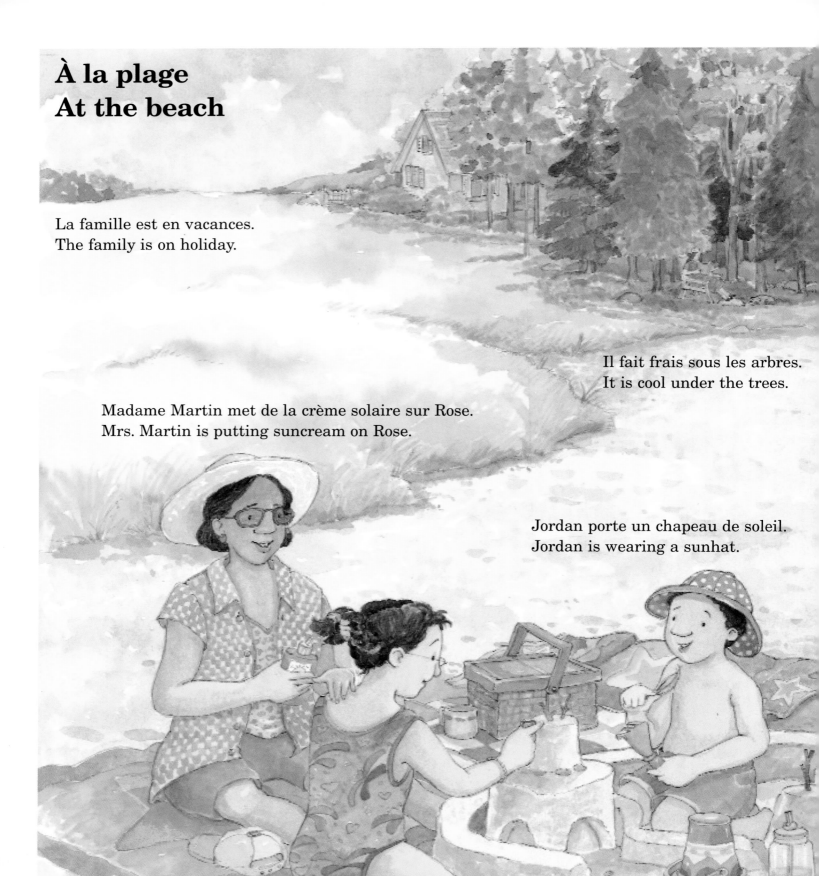

Rose porte un maillot de bain.
Rose is wearing a swimming costume.

Rose et Jordan font des châteaux de sable.
Rose and Jordan are making sandcastles.

Le soleil brille.
The sun is shining.

Il fait chaud aujourd'hui.
It is hot today.

Voilà un voilier.
There is a sailing boat.

Miko nage vers les canards.
Miko is swimming towards the ducks.

Monsieur Martin porte un T-shirt et un short.
Mr. Martin is wearing a T-shirt and shorts.

Le seau et la pelle sont dans le sable.
The bucket and spade are in the sand.

Un weekend à la campagne
A weekend in the countryside

Le veau court vers sa mère.
The calf runs to its mother.

Les cochons sont dans la boue.
The pigs are in the mud.

Rose et Miko jouent dans la grange.
Rose and Miko are playing in the barn.

Le père de Rose conduit le tracteur.
Rose's father is driving the tractor.

Le coq et les poules sont dans la basse-cour.
The cockerel and the hens are in the farmyard.

Jordan porte des œufs frais.
Jordan is carrying fresh eggs.

La vache broute l'herbe.
The cow is grazing.

Les moutons sont dans le champ.
The sheep are in the field.

Le pommier est près de la clôture.
The apple tree is near the fence.

Le cheval mange de l'avoine.
The horse is eating oats.

Les jumelles portent des salopettes.
The twins are wearing dungarees.

Oncle Michel peint la niche.
Uncle Michel is painting the kennel.

Tante Maria est assise sur la véranda.
Aunt Maria is sitting on the veranda.

Le samedi après-midi
Saturday afternoon

Tout le monde se détend dans le salon.
Everyone is relaxing in the living room.

Voici des photos de la famille.
Here are some photos of the family.

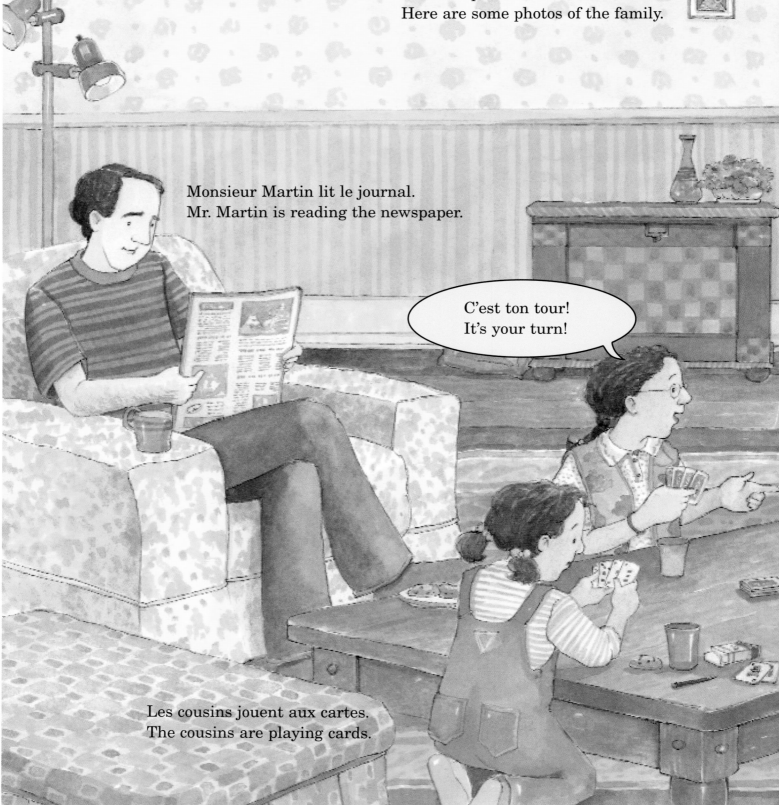

Monsieur Martin lit le journal.
Mr. Martin is reading the newspaper.

C'est ton tour!
It's your turn!

Les cousins jouent aux cartes.
The cousins are playing cards.

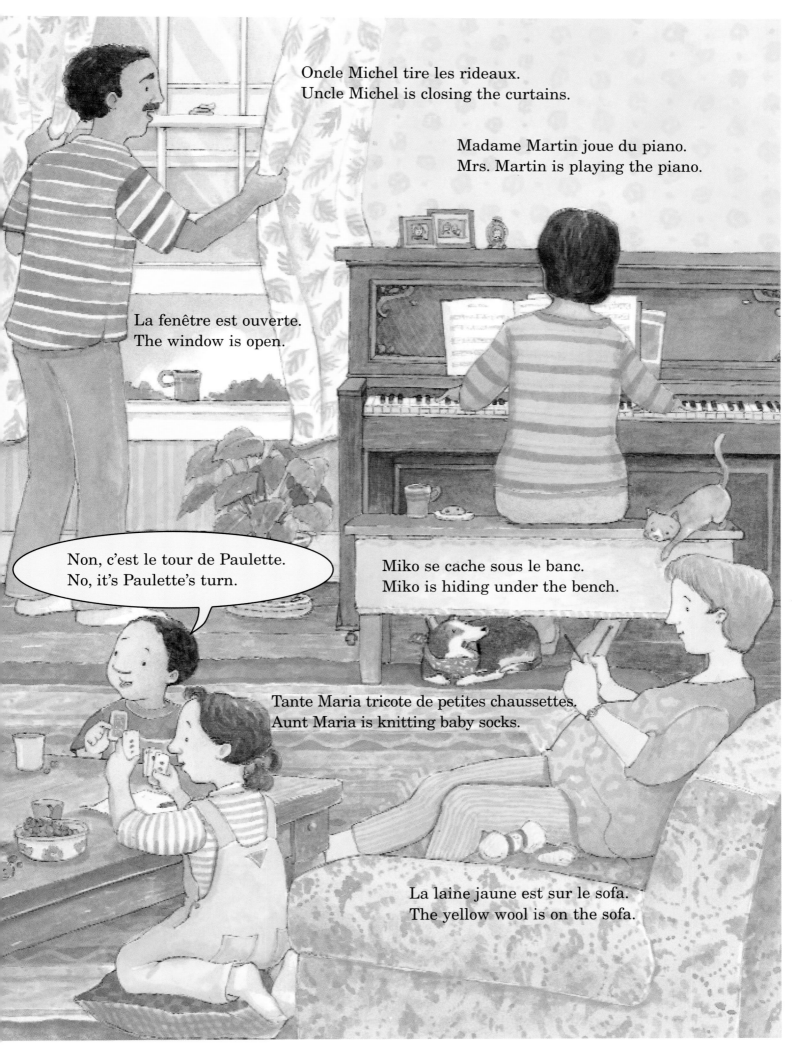

Oncle Michel tire les rideaux.
Uncle Michel is closing the curtains.

Madame Martin joue du piano.
Mrs. Martin is playing the piano.

La fenêtre est ouverte.
The window is open.

Non, c'est le tour de Paulette.
No, it's Paulette's turn.

Miko se cache sous le banc.
Miko is hiding under the bench.

Tante Maria tricote de petites chaussettes.
Aunt Maria is knitting baby socks.

La laine jaune est sur le sofa.
The yellow wool is on the sofa.

Bon appétit!
Enjoy your meal!

C'est l'heure du dîner au restaurant.
It's dinner time at the restaurant.

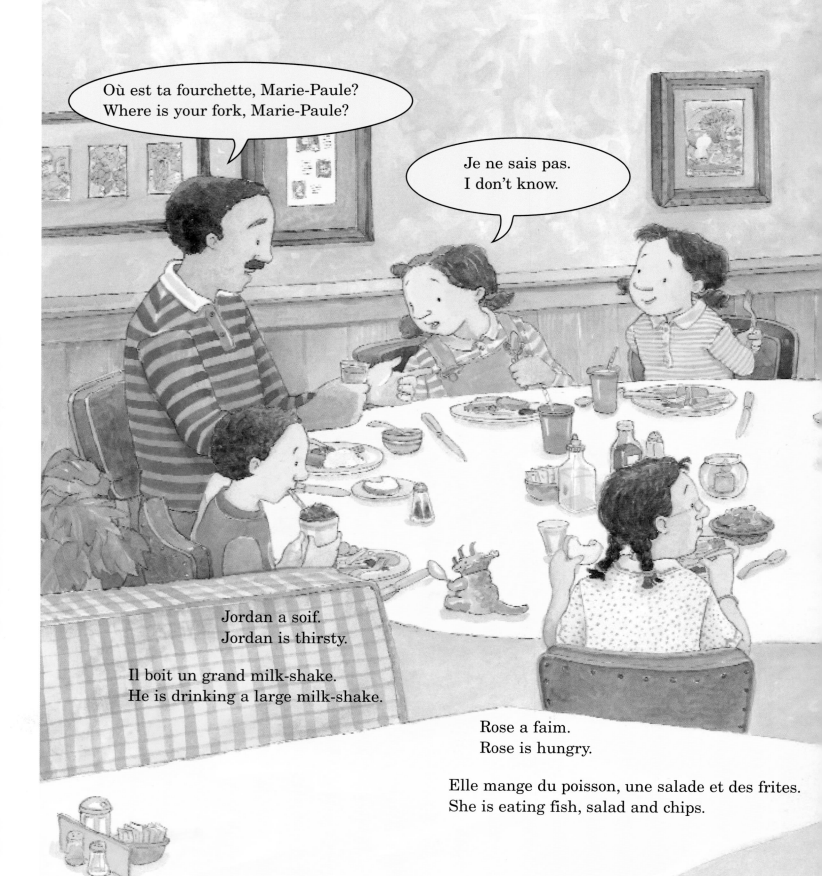

Où est ta fourchette, Marie-Paule?
Where is your fork, Marie-Paule?

Je ne sais pas.
I don't know.

Jordan a soif.
Jordan is thirsty.

Il boit un grand milk-shake.
He is drinking a large milk-shake.

Rose a faim.
Rose is hungry.

Elle mange du poisson, une salade et des frites.
She is eating fish, salad and chips.

La salle de jeux
The playroom

Le globe terrestre est sur la bibliothèque.
The globe is on the bookcase.

Le service à thé est sur la table.
The tea set is on the table.

Qu'est-ce que tu fais, Marie-Paule?
What are you doing, Marie-Paule?

Miko aime la maison de poupée.
Miko likes the doll's house.

Rose et Paulette jouent aux échecs.
Rose and Paulette are playing chess.

Je joue avec le train.
I am playing with the train.

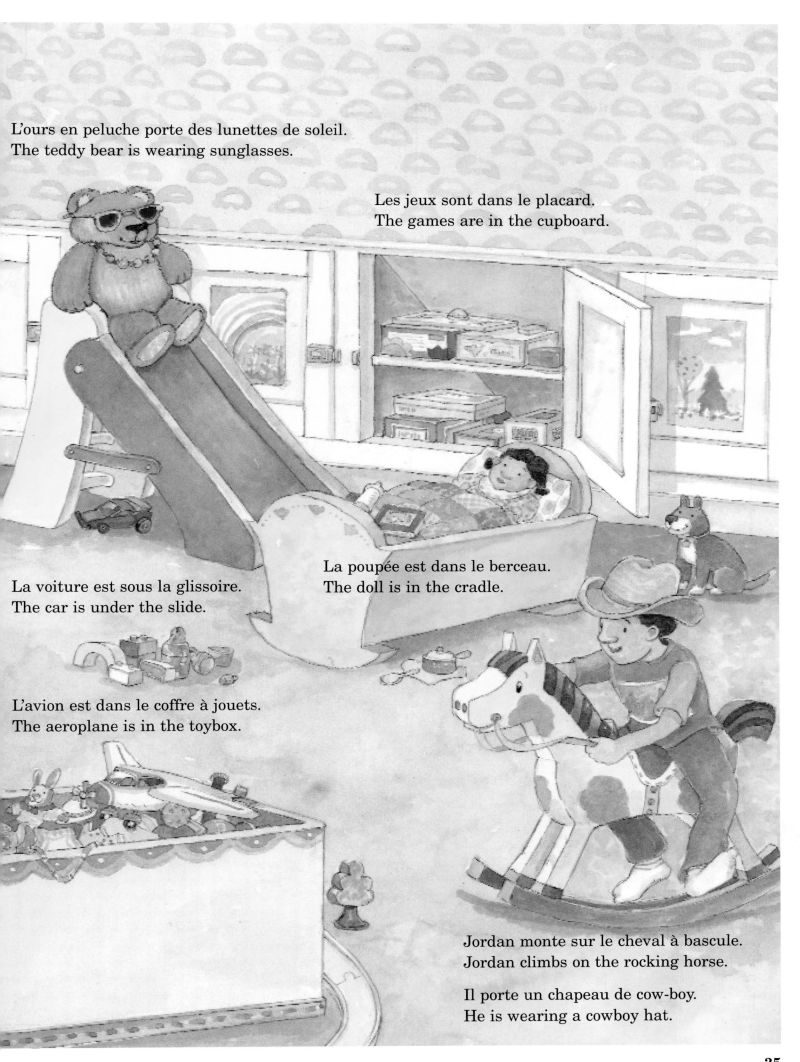

L'ours en peluche porte des lunettes de soleil.
The teddy bear is wearing sunglasses.

Les jeux sont dans le placard.
The games are in the cupboard.

La voiture est sous la glissoire.
The car is under the slide.

La poupée est dans le berceau.
The doll is in the cradle.

L'avion est dans le coffre à jouets.
The aeroplane is in the toybox.

Jordan monte sur le cheval à bascule.
Jordan climbs on the rocking horse.

Il porte un chapeau de cow-boy.
He is wearing a cowboy hat.

Bonne nuit!
Goodnight!

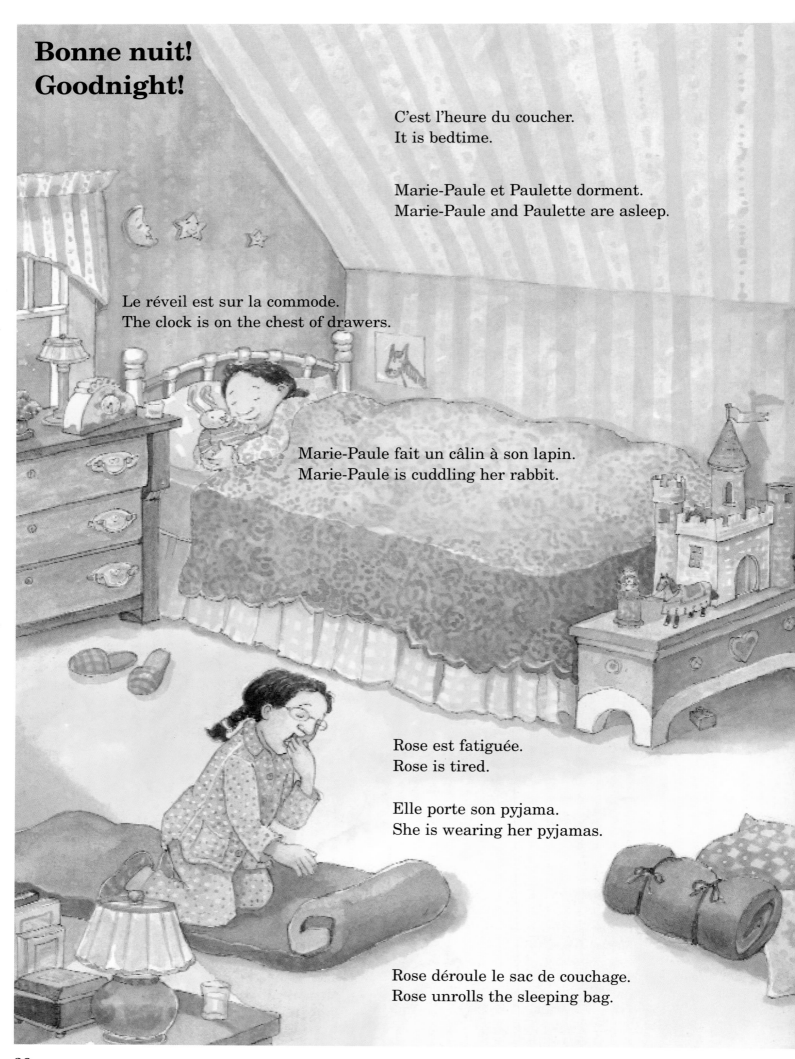

C'est l'heure du coucher.
It is bedtime.

Marie-Paule et Paulette dorment.
Marie-Paule and Paulette are asleep.

Le réveil est sur la commode.
The clock is on the chest of drawers.

Marie-Paule fait un câlin à son lapin.
Marie-Paule is cuddling her rabbit.

Rose est fatiguée.
Rose is tired.

Elle porte son pyjama.
She is wearing her pyjamas.

Rose déroule le sac de couchage.
Rose unrolls the sleeping bag.

Jordan est dans la salle de bains.
Jordan is in the bathroom.

Il y a deux lits dans la chambre.
There are two beds in the bedroom.

Il se brosse les dents.
He is brushing his teeth.

Il se regarde dans le miroir.
He is looking at himself in the mirror.

Madame Martin range les vêtements.
Mrs. Martin is putting away the clothes.

Miko dort dans la valise.
Miko is sleeping in the suitcase.

Word List

This is an alphabetical list of words that appear in this book. These are the short forms used in the word list: (f) feminine; (fpl) feminine plural; (m) masculine; (mpl) masculine plural. In an entry such as "beautiful / beau (belle)," "belle" is the feminine form of "beau."

aeroplane / avion (m) 35
after / après 20
afternoon / après-midi (m) 30
air / air (m) 21
also / aussi 13
ambulance / ambulance (f) 24
animal / animal (m) 12
ankle / cheville (f) 23
apple tree / pommier (m) 29
apron / tablier (m) 14
arrive (to) / arriver 16
asleep (to be) / dormir 36
aunt / tante (f) 7, 15, 29, 31

baby / bébé (m) 23
ball / balle (f) 17, 20
balloon / ballon (m) 9, 15
banana / banane (f) 11
bank / banque (f) 25
barn / grange (f) 28
basket / panier (m) 4, 10
basketball / basket (m) 17
bathroom / salle de bains (f) 37
be (to) / être 5, 6, 7, 8, 9, 10, 11,
    12, 13, 15, 16, 17, 18, 19, 21, 22,
    23, 24, 25, 27, 28, 29, 31, 32, 33,
    34, 35, 36, 37
beach / plage (f) 26
beautiful / beau (belle) 11, 13
bed / lit (m) 37
bedroom / chambre (f) 37
bedtime / heure du coucher (f) 36
behind / derrière 25
bench / banc (m) 31
beside / à côté de 17
best / meilleur(e) 7
bicycle / vélo (m) 4
big / gros(se) 11
birthday / anniversaire (m) 8, 14
blow bubbles (to) / faire des bulles 15
book / livre (m) 12, 13, 18
bookcase / bibliothèque (f) 34
bookshop / librairie (f) 12
born (to be) / naître 7
boy / garçon (m) 19, 23
broken / cassé(e) 22
brother / frère (m) 6
brush one's teeth / se brosser
    les dents 37
bubble / bulle (f) 15
bucket / seau (m) 27
building / immeuble (m) 24
bulldozer / bulldozer (m) 24

butter / beurre (m) 8
butterfly / papillon (m) 15
buy (to) / acheter 12

café / café (m) 25
cake / gâteau (m) 8, 14
calf / veau (m) 28
called (to be) / s'appeler 4, 6
candle / bougie (f) 14
car / auto (f) 16; voiture (f) 25, 35
card / carte (f) 30
carry (to) / transporter 28
cart / chariot (m) 16
cat / chat (m) 5
CD / CD (m) 13
chair / chaise (f) 8
cheer (to) / pousser des hourras 20
chess / échecs (mpl) 34
chest of drawers / commode (f) 36
chickenpox / varicelle (f) 22
children / enfants 12, 13, 15, 17, 18, 20
chip / frite (f) 32
chocolate / chocolat (m) 8
cinema / cinéma (m) 25
class / classe (f) 18
classroom / salle de classe (f) 18
climb (to) / monter 35
clock / réveil (m) 36
closed / fermé(e) 25
clothes / vêtements (mpl) 37
coach / entraîneur(euse) 20
cockerel / coq (m) 28
colouring in / coloriage (m) 19
computer / ordinateur (m) 19
construction / construction (f) 24
cook (to) / faire cuire 14
cool / frais (fraîche) 26
corner / coin (m) 12
cost (to) / coûter 11
countryside / campagne (f) 7, 28
cousin / cousin(e) 7, 30
cow / vache (f) 29
cowboy / cow-boy (m) 35
cradle / berceau (m) 35
cross (to) / traverser 25
crutch / béquille (f) 22
cry (to) / pleurer 23
cucumber / concombre (m) 11
cuddle (to) / faire un câlin 36
cupboard / placard (m) 35
curtain / rideau (m) 31

dad / papa (m) 8, 14

delicious / délicieux(euse) 33
deliver (to) / livrer 24
desk / bureau (m) 19
dictionary / dictionnaire (m) 12
dinner time / heure du dîner (f) 32
dinosaur / dinosaure (m) 6
doctor / docteur 22, 23
dog / chien (m) 4
doll / poupée (f) 35
doll's house/maison de poupée (f) 34
door / porte (f) 13
dress / robe (f) 13
dress up (to) / se déguiser 18
drink (to) / boire 32
drive (to) / conduire 28
duck / canard (m) 27
dumper truck / camion-benne (m) 24
dungarees / salopettes (fpl) 29

early / de bonne heure 16
eat (to) / manger 29, 32
egg / œuf (m) 28
eight / huit 20
eleven / onze 20
entrance / entrée (f) 33
everyone / tout le monde 16, 30

family / famille (f) 6, 8, 12, 26, 30
farmyard / basse-cour (f) 28
father / père (m) 6, 28
favorite / favori(te) 9
fence / clôture (f) 29
field / champ (m) 29
finish (to) / finir 33
fire engine/voiture de pompiers (f) 24
firefighter / pompier (m) 6
fish / poisson (m) 32
five / cinq 20
flower / fleur (f) 11
football / foot (m) 20
fork / fourchette (f) 32
fountain / fontaine (f) 17
four / quatre 20
French / français (e) 7
fresh / frais (fraîche) 28
fridge / frigo (m) 9
friend / ami(e) 7, 17
fruit / fruit (m) 10

game / jeu (m) 35
garden / jardin (m) 15
gift / cadeau (m) 12, 14
girl / fille (f) 5, 16, 19, 22, 33

glass / verre (m) 14
glasses / lunettes (fpl) 4
globe / globe terrestre (m) 34
goalkeeper / gardien de but (m) 21
goodnight / bonne nuit 36
grandfather / grand-père (m) 7
grandma / grand-maman (f) 14
grandmother / grand-mère (f) 7, 8, 12, 14
grape / raisin (m) 9
grass / herbe (f) 29
green / vert(e) 10
greengrocer's / magasin de fruits and legumes (m) 10
grocer's / épicerie (f) 25
group / groupe (m) 18
guitar / guitare (f) 18

hamburger / hamburger (m) 14
hand / main (f) 23
hat / chapeau (m) 35
have (to) / avoir 6, 22, 23
headache / mal de tête (m) 22
headteacher / directeur(trice) 16
hello / bonjour 4
hen / poule (f) 28
here is/are / voici 22, 30
hide from (to) / se cacher 31
hide-and-seek / cache-cache (m) 21
hold (to) / tenir 23
holiday / vacances (fpl) 26
home / maison (f) 8
hopscotch / marelle (f) 5
horse / cheval (m) 29, 35
hospital / hôpital (m) 24
hot / chaud(e) 27
house / maison (f) 5
how many / combien de 14
hug (to) / serrer dans ses bras 16
hungry (to be) / avoir faim 32

in (to be) / dans 4
in front / devant 16, 21, 25
it is / c'est; il est 8, 16, 36

juice / jus (m) 10

kennel / niche (f) 29
kit / tenues (f) 20
kitchen / cuisine (f) 8
kneel (to) / se mettre à genoux 8
knit (to) / tricoter 31

large / grand(e) 32
leg / jambe (f) 22
lemonade / limonade (f) 14
lettuce / laitue (f) 10
library / bibliothèque (f) 25
like (to) / aimer 4, 6, 10, 12, 18, 33, 34
listen (to) / écouter 13

little / petit(e) 16
live (to) / habiter 4, 7
living room / salon (m) 30
look (to) / regarder 11, 17
look at oneself (to) / se regarder 37
look for (to) / chercher 12
lot / beaucoup 13

magazine / revue (f) 12
mail / courrier (m) 24
make (to) / faire 4, 8, 10, 14, 15, 25, 36
man / homme (m) 12
milk shake / milk-shake (m) 32
mirror / miroir (m) 37
mix (to) / mélanger 8
Monday / lundi (m) 19
mother / mère (f) 6, 28
motorcycle / moto (f) 25
Mr / Monsieur 13, 18, 24, 27, 30
Mrs / Madame 12, 17, 26, 31, 37
mud / boue (f) 28
mum / maman (f) 9, 14
musician / musicien(ne) 6

name / nom (m) 4, 6
near / près 13, 24, 29
neighbourhood / quartier (m) 5
net / but (m) 21
newspaper / journal (m) 30
next to / à côté de 11, 33
nine / neuf 20
no / non 31
number / numéro (m) 21
nurse / infirmier(ière) 23

oats / avoine (f) 29
one / un 20, 21
onion / oignon (m) 11
open / ouvert(e) 31
open (to) / ouvrir 14
opposite / en face de 25
orange / orange (f) 10
outside / dehors 11; à l'extérieur 16, 25

paint (to) / peindre 29
parent / parent (m) 16
park / parc (m) 25
parked / stationné(e) 16
patient / patient (m) 22
pavement / trottoir (m) 5
petrol station / station-service (f) 25
photo / photo (f) 14, 30
piano / piano (m) 31
picture / dessin (m) 9
pig / cochon (m) 28
pitch / terrain (m) 20
play (to) / jouer 5, 6, 15, 17, 18, 20, 28, 31, 34
player / joueur(euse) 20

playroom / salle de jeux (f) 34
police / police (f) 25
police car / voiture de police (f) 25
poodle / caniche (m) 13
postal worker / facteur (m) 24
potato / pomme de terre (f) 10
pour (to) / verser 14
practise (to) / s'exercer 9
pregnant / enceinte 15
pupil / élève (m/f) 16
put (to) / mettre 26
put away (to) / ranger 19, 37
puzzle / casse-tête (m) 19
pyjamas / pyjama (m) 36

rabbit / lapin (m) 36
radish / radis (m) 11
raspberry / framboise (f) 11
read (to) / lire 18, 30
red / rouge 11, 20, 25
referee / arbitre (m) 21
relax (to) / se détendre 30
restaurant / restaurant (m) 32
ride a bicycle (to) / faire du vélo 4
rocking horse / cheval à bascule (m) 35
rucksack / sac à dos (m) 17
ruler / règle (f) 19
run (to) / courir 20, 28

sailing boat / voilier (m) 27
salad / salade (f) 32
sand / sable (m) 27
sandcastle / château de sable (m) 26
Saturday / samedi (m) 8, 30
school / école (f) 16
sell (to) / vendre 13
seven / sept 20
sheep / mouton (m) 29
shelf / rayon (m) 12
shine (to) / briller 27
shop / magasin (m) 10, 13
shop (to) / faire des courses 10
short / petit(e) 23
shorts / short (m) 27
shoulder / épaule (f) 23
sing (to) / chanter 18
sister / sœur (f) 23
sit (to) / s'asseoir 16, 29
six / six 20, 21
skateboard / planche à roulettes (f) 5
skip (to) / sauter à la corde 17
sleeping bag / sac de couchage (m) 36
slide / glissoire (f) 35
small / petit(e) 5
sock / chaussette (f) 31
sofa / sofa (m) 31
song / chanson (f) 9
sore / mal 22, 23
soup / soupe (f) 33

spade / pelle (f) 27
spaghetti / spaghettis (mpl) 33
stop (to) / s'arrêter 25
story / histoire (f) 13
street / rue (f) 25
stroke (to) / caresser 16
sugar / sucre (m) 8
suitcase / valise (f) 37
sun / soleil (m) 27
suncream / crème solaire (f) 26
sunglasses / lunettes de soleil (fpl) 35
sunhat / chapeau de soleil (m) 26
surgery / cabinet (m) 22
swim (to) / nager 27
swimming costume / maillot de
  bain (m) 26
swing / balançoire (f) 15

table / table (f) 9, 25, 34
take (to) / prendre 14
talk (to) / parler 17
tall / grand(e) 23
tea set / service à thé (m) 34
teacher / professeur (m) 17
team / équipe (f) 20
teddy bear / ours en peluche (m) 35
teenager / adolescent(e) 22
ten / dix 20
thank you / merci 33
there is / voilà 19, 27

there are / il y a 9, 13, 14, 20, 37
thirsty (to be) / avoir soif 32
three / trois 20
tired / fatigué(e) 36
today / aujourd'hui 8, 19, 27
toilets / toilettes (fpl) 33
tomato / tomate (f) 11, 33
tooth / dent (f) 37
towards / vers 27
town / ville (f) 4, 24
toybox / coffre à jouets (m) 35
tractor / tracteur (m) 28
traffic light / feu (m) 25
train / train (m) 34
tree / arbre (m) 5, 26
T-shirt / T-shirt (m) 27
turn / tour (m) 31
TV / télé (f) 9
twelve / douze 20
twin / jumeau (jumelle) 15, 29
two / deux 20, 37

uncle / oncle (m) 7, 14, 29, 31
under / sous 26, 31, 35
unroll (to) / dérouler 36
vegetable / légume (m) 10
veranda / véranda (f) 29
violin / violon (m) 9

wait (to) / attendre 11, 16

waiting room / salle d'attente (f) 22
walk (to) / marcher 22
want (to) / vouloir 12
wash (to) / laver 24
waste paper bin / poubelle (f) 19
watch (to) / regarder 9, 15
wear (to) / porter 13, 14, 20, 26,
  27, 29, 35, 36
weekend / weekend (m) 28
welcome / bienvenu(e) 18
wheelchair / fauteuil roulant (m) 17
where / où 32
whistle / sifflet (m) 21
whole / tout(e) 12, 30
window / fenêtre (f) 17, 31
with / avec 6, 19, 21, 22, 34
woman / femme (f) 13
wool / laine (f) 31
work (to) / travailler 19

yellow / jaune 11
yes / oui 33

Verbs

Avoir
j'ai
tu as
il/elle a
nous avons
vous avez
ils/elles ont

Courir
je cours
tu cours
il/elle court
nous courons
vous courez
ils/elles courent

Être
je suis
tu es
il/elle est
nous sommes
vous êtes
ils/elles sont

Faire
je fais
tu fais
il/elle fait
nous faisons
vous faites
ils/elles font

Finir
je finis
tu finis
il/elle finit
nous finissons
vous finissez
ils/elles finissent

Jouer
je joue
tu joues
il/elle joue
nous jouons
vous jouez
ils/elles jouent

Manger
je mange
tu manges
il/elle mange
nous mangeons
vous mangez
ils/elles mangent

Prendre
je prends
tu prends
il/elle prend
nous prenons
vous prenez
ils/elles prennent

Vouloir
je veux
tu veux
il/elle veut
nous voulons
vous voulez
ils/elles veulent